Allegro ma non troppo

Regalo de Jose Luis
Revuelta de Madrid

(Jil, Critine Serré e J Diebe
Juani y Carlos)

11 Febrero 2018

Booket
Divulgación

Carlo M. Cipolla
Allegro ma non troppo

Traducción de Maria Pons

CRÍTICA

No se permite la reproducción total o parcial de este libro,
ni su incorporación a un sistema informático, ni su transmisión
en cualquier forma o por cualquier medio, sea éste electrónico,
mecánico, por fotocopia, por grabación u otros métodos,
sin el permiso previo y por escrito del editor. La infracción
de los derechos mencionados puede ser constitutiva de delito
contra la propiedad intelectual (Art. 270 y siguientes del Código Penal).
Diríjase a CEDRO (Centro Español de Derechos Reprográficos) si necesita
fotocopiar o escanear algún fragmento de esta obra. Puede contactar con
CEDRO a través de la web www.conlicencia.com o por teléfono
en el 91 702 19 70 / 93 272 04 47

Título original: *Allegro ma non troppo*

© 1988, Società editrice il Mulino, Bologna

En colaboración con Editorial Planeta, S. A.
© 1991 de la traducción castellana para España y América
    Crítica, S. L.
    Avinguda Diagonal, 662-664. 08034 Barcelona (España)
    editorial@ed-critica.es
    www.ed-critica.es
    www.planetadelibros.com

Imagen de la cubierta: © Kiyotsugu Tsukuma / Getty images
Primera edición en Colección Booket: julio de 2012
Segunda impresión: enero de 2014
Tercera impresión: junio de 2015
Cuarta impresión: agosto de 2015

Depósito legal: B. 17.763-2012
ISBN: 978-84-08-00706-7
Impresión y encuadernación: Reinbook, S. L.
Printed in Spain - Impreso en España

Biografía

Carlo M. Cipolla (1922-2000) ha sido uno de los mayores historiadores del siglo xx. Catedrático de Historia económica en las universidades de Pavía y Berkeley, es autor, entre otros libros, de *Entre la historia y la economía. Introducción a la historia económica* (1991), *La odisea de la plata española* (1999), *Las máquinas del tiempo y la guerra* (1999), *Historia económica de la población mundial* (2000) y *Las leyes fundamentales de la estupidez humana* (2013), todos ellos publicados por Crítica.

Sólo para empezar

*L*a vida es una cosa seria, muy a menudo trágica, algunas veces cómica. Los griegos de la época clásica se daban perfecta cuenta de ello y cultivaban el sentido trágico de la vida. Los romanos, más prácticos en general, no hacían de la vida una tragedia, pero la consideraban una cosa seria: por consiguiente, de entre las cualidades humanas apreciaban muy particularmente la gravitas y tenían en poca consideración la levitas.

No resulta difícil entender ni definir qué es lo trágico, y si a un individuo cualquiera se le ocurre aparecer como una figura trágica no le va a ser difícil conseguirlo, si es que la Madre Naturaleza no le ha socorrido ya en su empeño. La seriedad es también una cualidad relativamente fácil de entender, de definir y, en cierto modo, de practicar. En cambio, lo que sí es difícil de definir, y no a todo el mundo le es dado percibir y apreciar, es lo cómico. El humorismo, que consiste en la capacidad de entender, apreciar y expresar lo cómico, es un don más bien escaso entre los seres humanos.

Entendámonos: el humorismo chabacano, facilón, vulgar, prefabricado (= chiste) está al alcance de muchos, pero no se trata de auténtico humorismo. Es una deformación del humorismo. El término humorismo deriva del término humor y se refiere a una sutil y feliz disposición mental sólidamente basada en un fundamento de equilibrio psicológico y de bienestar fisiológico. Muchísimos escritores, filósofos, epistemólogos y lingüistas han intentado repetidas veces definir y explicar qué es el humorismo. Pero dar una definición del humorismo es una cosa difícil, por no decir imposible. Tanto es así que si una situación humorística no es percibida como tal por el interlocutor es prácticamente inútil, y hasta contraproducente, intentar explicársela.

El humorismo es, claramente, la capacidad inteligente y sutil de poner de relieve y destacar el aspecto cómico de la realidad. Pero es también mucho más que eso. En primer lugar, tal como escribieron Devoto y Oli, el humorismo no debe suponer una posición hostil, sino más bien una profunda y a menudo indulgente simpatía humana. Además, el humorismo implica la percepción instintiva del momento y del lugar en que puede ser expresado. Hacer humorismo sobre la precariedad de la vida humana cuando uno está junto a la cabecera de un moribundo no es humorismo. En cambio, cuando aquel gentilhombre francés, que subía las escaleras que lo conducían a la guillotina, tropezó con uno de los escalones y dirigiéndose a los guardianes exclamó: «Dicen que tropezar trae mala suerte», aquel hombre bien merecía que se le perdonara la cabeza.

El humorismo está tan íntimamente unido a la elección

cuidadosa y específica de la expresión verbal con que se manifiesta que difícilmente se consigue traducirlo de una lengua a otra. Lo cual significa, además, que está tan imbuido de las características de la cultura en que se manifiesta, que muchas veces resulta totalmente incomprensible si se traslada a un ambiente cultural diferente.

El humorismo es distinto de la ironía. Cuando uno es irónico se ríe de los demás. Cuando uno hace humorismo se ríe con los demás. La ironía genera tensiones y conflictos. El humorismo, cuando es utilizado en la medida justa y en el momento oportuno (y si no se utiliza en la medida justa ni en el momento oportuno no se trata de humorismo), es el mejor remedio para disipar tensiones, resolver situaciones que podrían resultar penosas y facilitar el trato y las relaciones humanas.

Tengo la profunda convicción de que siempre que se presente la ocasión de practicar el humorismo es un deber social impedir que tal ocasión se pierda. De esta consideración trivial nacieron los dos ensayos que se ofrecen a continuación. Originariamente fueron publicados hace unos años (en 1973 y en 1976, respectivamente) en lengua inglesa y en edición limitada, reservada únicamente a los amigos. Sin embargo, ambos ensayos tuvieron un éxito inesperado y, mientras algunas personas intentaron conseguir una copia por medio de amigos o conocidos, otras más emprendedoras hicieron copias xerográficas, e incluso manuscritas, que circularon de un modo más o menos clandestino. El fenómeno alcanzó tales proporciones que la editorial Il Mulino y el que suscribe decidieron finalmente realizar una edición oficial y pública, que es la que ahora se presenta, no sin haber efectuado antes revisiones sustanciales respecto de la primera edición semiclandestina.

Con ocasión de esta edición oficial me siento obligado a hacer dos precisiones. En el ensayo sobre la pimienta, al lector no le resultará difícil captar algunos matices irónicos. Pero espero que se me conceda que se trata de una ironía bonachona y pacífica, que no está muy distante —al menos eso espero— del humorismo.

En cuanto al ensayo sobre la estupidez humana, no se trata ni más ni menos que de algo que los eruditos del siglo XVIII habrían denominado «una aguda invención». De hecho, el ensayo no guarda ninguna relación con mi vida personal. Pecaría gravemente de ingratitud contra las circunstancias que hasta ahora han presidido el curso de mi vida si no confesara que he sido, en cuanto se refiere a mis relaciones humanas, un ser extraordinariamente afortunado, en el sentido de que la inmensa mayoría de personas con las que he entablado relación han sido por regla general personas generosas, buenas e inteligentes. Espero que al leer estas páginas no acaben convenciéndose de que el estúpido soy yo.

El papel de las especias
(y de la pimienta
en particular) en el
desarrollo económico
de la Edad Media

El papel de las especias
(y de la pimienta en particular)
en el desarrollo económico
de la Edad Media

1

Una de las más graves tragedias vividas por Europa en los siglos remotos fue la caída del imperio romano. En aquella época, como sucede a menudo con los acontecimientos humanos, muchos no se dieron cuenta de la gravedad del hecho. Una buena parte de los ciudadanos de Cartago estaban disfrutando de los juegos en el anfiteatro cuando la ciudad fue atacada por los vándalos, y los nobles de Colonia celebraban un banquete cuando los bárbaros llegaron a las puertas de la ciudad. Otros, en cambio, se dieron perfecta cuenta de la gravedad de los acontecimientos: cuando el ejército de los godos, acaudillado por Alarico, saqueó Roma en el verano del año 410 d. C., san Jerónimo —que por aquel entonces vivía en Belén y no era aún santo— escribió: «Se ha apagado la luz más brillante del mundo» y, con profunda angustia y un temblor en las piernas, tuvo el valor de añadir: «Si Roma puede perecer, ¿nos queda algo seguro?».

Los historiadores modernos, con raras excepciones,[1] están de acuerdo en el alcance histórico que tuvo el desmoronamiento del imperio romano, pero no coinciden en las causas que motivaron su decadencia.

Unos culpan a los cristianos, otros a la degeneración de los paganos; para unos la causa fue el nacimiento y la consolidación del Estado burocrático-asistencial, para otros fue la decadencia de la agricultura y la extensión del latifundio; unos lo atribuyen al descenso de la fertilidad, otros al ascenso de la clase campesina. Un sociólogo norteamericano ha replanteado recientemente el problema presentando la tesis brillante y original de que la decadencia de Roma fue debida al progresivo envenenamiento por plomo de la clase aristocrática romana.

El plomo, si se ingiere o absorbe en dosis superiores a un miligramo al día, puede provocar estreñimiento doloroso, pérdida de apetito, parálisis de las extremidades y, finalmente, puede producir la muerte. Puede, además, ser causa de esterilidad en los hombres y de abortos en las mujeres. Siguiendo con la tesis del ilustre sociólogo, los roma-

---

1. Entre las excepciones figuran los autores cristianos que vieron en la caída del imperio romano una oportuna intervención divina para salvar a la humanidad del paganismo. Recientemente, un historiador y economista inglés, evidentemente sensibilizado por el gravoso sistema de impuestos que rige hoy en Gran Bretaña, ha interpretado la caída de Roma como un acontecimiento providencial, que «libró a millones de europeos del pago insostenible de impuestos».

nos, y en particular los aristócratas, ingerían cantidades de plomo superiores al límite tolerado. No tan sólo existía la recomendación de Plinio el Viejo de que «se usaran recipientes de plomo y no de bronce» para la cocción de los alimentos, sino que además el plomo era utilizado en la fabricación de tuberías de conducción de agua, jarras, cosméticos, medicinas y colorantes. Añádase a esto que los romanos, para conservar mejor y endulzar el vino, añadían zumo de uva no fermentado que, a su vez, había sido hervido y decantado en recipientes revestidos internamente de plomo. De este modo, mientras pretendían esterilizar el vino, los romanos «no se daban cuenta de que se esterilizaban a sí mismos».

«La alta tasa de mortalidad y la baja tasa de natalidad» de la aristocracia romana son claramente indicativas, según el sociólogo norteamericano, de los fenómenos de envenenamiento por plomo y así, a lo largo de algunas generaciones, esta «aristotanasia» provocó la desaparición de las figuras más autorizadas del pensamiento y de la cultura. Una ciudad donde el envenenamiento por plomo debió de ser particularmente intenso y extenso fue Ravena, sede del poder del imperio de Oriente en Italia. No vayamos a creer que allí todo marchaba bien. Según Sidonio Apolinar, en Ravena «los muros se desploman, las aguas cesan de fluir, las torres ceden, las naves encallan, los ladrones vigilan, los guardianes duermen».

Envenenados por el plomo y, por tanto, estreñidos, estériles y afectados por la «aristotanasia», los romanos no fueron capaces de contener a los bárbaros. La consecuencia fue una ruina general y profunda. A finales del siglo IV, Ambrosio, obispo de Milán, no veía a su alrededor sino «semirutarum urbium cadavera». Commodiano, horrorizado, escribía que «vastantur patriae, prosternitur civitas omnis». Un poeta anónimo se lamentaba de que «omnia in finem precipitata ruunt». Rufino confesaba amargamente: «¿Cómo se pueden tener ánimos para escribir, cuando estás rodeado de armas enemigas y a tu alrededor no ves más que ciudades y campos devastados?».

2

Así comenzó la Edad Media, cuyos primeros siglos son llamados en inglés los «siglos oscuros» (*dark ages*). Un estudioso hizo notar, no hace mucho tiempo, que aquellos siglos «no eran tan oscuros para los bárbaros». Puesto que nosotros no somos los «bárbaros», los primeros siglos de la Edad Media siguen pareciéndonos una época oscura. En là oscuridad suceden cosas extrañas. En la oscuridad de la Alta Edad Media, la sociedad se organizó en tres estamentos: los que combatían, los que oraban y los que trabajaban y que, por lo tanto, eran considerados siervos. Felipe de Vitry, secretario de Felipe VI de Valois, lo explicó de la siguiente manera:

> Para escapar de las calamidades que la amenazaban, la sociedad se organizó en tres estamentos. Uno se encargó de rezar al Señor Dios Padre. El segundo se dedicó al comercio y a la agricultura. Y, por último, para proteger de las injusticias y agresiones a las dos clases antes mencionadas, se crearon los nobles.

Pero la explicación de Felipe de Vitry es partidista e inexacta. Los nobles no tenían ni la más mínima intención «de proteger de injusticias y agresiones a las otras dos clases sociales». Por el contrario, se afanaron por añadir injusticia a la injusticia y agresión a la agresión. Cultivaban una única pasión: luchar. Cuando esto no era posible, se desahogaban en cruentos torneos o en no menos cruentas partidas de caza. En conjunto, contribuyeron a llenar Europa de prevaricaciones y violencias.

Como si esto no fuera suficiente, aguerridos y amenazadores pueblos extranjeros presionaban desde fuera, añadiendo violencia a la violencia y latrocinio al latrocinio. Los musulmanes presionaban desde el sur, los húngaros por el este y los escandinavos por el norte. Estos últimos eran tal vez los peores. Se ignora por qué y cómo empezaron sus sanguinarias incursiones, y por qué razones continuaron devastando Europa durante tanto tiempo. Ciertamente poseían una tecnología naval superior,[2] y. el motivo que se suele citar es el del pillaje. Pero había otro. Una reciente publicación noruega afirma que tuvo mucha importancia el «papel de las mujeres en la belicosa sociedad escandinava. Fieras y formidables, las mujeres vikingas sabían también ser peligrosamente infieles si se les presentaba la ocasión y, en cualquier caso, jamás se dejaron someter».

No nos debe maravillar, pues, que los maridos de tan formidables mujeres optasen por pasar largas temporadas en el extranjero. Tanto más cuanto que en el sur los vikingos varones hallaban placenteras ocasiones de olvidar los

---

2.   El pueblo vikingo, aunque primitivo, era en algunos aspectos bastante desarrollado. Un antropólogo norteamericano logró calcular el *rotated factor index* del desarrollo sociocultural de algunos pueblos primitivos. El *rotated factor index* para los vikingos es de 1,60, mientras que es de 1,73 para los aztecas, 0,99 para los hotentotes, 0,89 para los mafulu, 0,44 para los bosquimanos y 0,28 para los esquimales. Lo que pueda ser exactamente el «*rotated factor index*» sólo lo sabe el antropólogo norteamericano que lo ha inventado.

difíciles problemas domésticos. Hallándose en los *Annales de Saint-Bertin*, en el año 865 d.C., un nutrido grupo de *Nortmanni* «ex se circiter ducentes Parisyus mittunt ubi quod quaesiverunt vinum» ('enviaron un destacamento de unos doscientos hombres a París en busca de vino').

La pertinaz secuencia de violencias y las deprimidas y penosas condiciones de vida de la época elevaron las tasas de mortalidad hasta niveles muy altos. Es obvio que a una mortalidad elevada debe corresponderle una fertilidad igualmente elevada si se quiere que la sociedad sobreviva. Después de la caída del imperio, los europeos afortunadamente habían perdido la mala costumbre de esterilizarse con el plomo. Fue una suerte. Pero, al mismo tiempo, el comercio con Oriente iba languideciendo cada vez más y, en consecuencia, la pimienta oriental se convirtió en Occidente en un bien cada vez más raro y costoso. El gran historiador belga Henri Pirenne y su escuela han efectuado rigurosísimas investigaciones con objeto de demostrar que el avance musulmán, en los siglos VII y VIII de la era cristiana, supuso el golpe definitivo a las ya tambaleantes relaciones comerciales entre Oriente y Occidente; en consecuencia, la pimienta acabó siendo en Occidente un bien tan escaso como nunca antes lo había sido.

3

La pimienta —todo el mundo lo sabe— es un potente afrodisíaco. Privados de pimienta, los europeos a duras penas consiguieron compensar las pérdidas de vidas humanas causadas por nobles locales, guerreros escandinavos, invasores húngaros y piratas árabes. La población disminuyó; las ciudades se despoblaron, mientras que los bosques y los pantanos se extendían cada vez más. Perdida ya toda esperanza de alcanzar una vida mejor en este mundo, la gente fue depositando cada vez más sus esperanzas en la vida del más allá, y la idea de obtener recompensas en el cielo la ayudó a soportar la falta de pimienta en esta tierra.

Solamente los tontos podían contemplar el futuro con optimismo. Los inteligentes sentían ante él un horror sobrecogedor, y muchos se refugiaron en la paz de los conventos para huir de un mundo brutal y sanguinario. Lo único que faltaba ya era que aparecieran los terribles jinetes del Apocalipsis, tal como había sido anunciado por los profetas. Todo el mundo estaba resignado y convencido de que tal acontecimiento sucedería la medianoche del día treinta y uno de diciembre del año 999. A partir de las once y media de la noche de aquel temido día, todas las madres apretaron fuertemente a sus hijitos contra su pecho y los amantes se fundieron en un último y patético abrazo de amor. La fatídica y temida medianoche llegó puntualmente, pero —con gran estupor por parte de todos— los jinetes del Apocalipsis no hicieron acto de presencia. Esta falta de asistencia a la cita señaló el *turning point* de la historia europea.

4

El nuevo milenio puede ser justamente considerado el milenio de la Europa occidental. El mérito de haber abierto el paso a esta nueva época corresponde a dos personajes notables de aquel tiempo: el obispo de Bremen y Pedro el Ermitaño. Ambos fueron, en definitiva, los fundadores del imperialismo europeo. El obispo de Bremen sentía debilidad por la miel y la caza. Pedro, en cambio, tenía predilección por los manjares picantes. Lo que hicieron ambos fue, en realidad, muy sencillo. Rodeados como estaban de tipos violentos, cuyo deporte favorito era matarse mutuamente, el obispo y el Ermitaño actuaron de catalizadores e incitaron a los europeos a ejercer su violencia contra los no europeos, en lugar de hacerlo contra ellos mismos. Como buen alemán, el obispo habló de un modo claro y llano, sin ringorrangos diplomáticos, y en 1108 exclamó con voz de trueno: «Los eslavos son pueblos abominables y en sus tierras abundan la miel, el grano y la caza. Jóvenes caballeros, dirigíos hacia Oriente». De este modo, el terrible obispo, utilizando como cebo la miel, el grano y la caza, empujó hacia Oriente a muchos jóvenes alemanes violentos y dio comienzo a aquel *Drang nach Osten* que llevó a las conquistas germanas de los territorios situados más allá del río Elba y, en última instancia, a la creación del Estado prusiano.

El Ermitaño era francés. Según escribió Guillermo de Tiro, «Pedro nació en la diócesis de Amiens, en el reino de Francia. Era menudo y de salud débil, pero tenía un corazón muy grande». Según Gilberto de Nogent, Pedro «comía poquísimo pan, y se alimentaba tan sólo de pescado y vino». Seguramente no tenía problemas de colesterol. Lo que nadie explica, sin embargo, es que Pedro sentía debilidad por las comidas picantes. Si consumía tan sólo pescado y vino, se debía a que era un pobre eremita y no un rico abad y, en consecuencia, no podía permitirse el lujo de adquirir la pimienta que los contrabandistas transportaban furtivamente a Occidente y vendían a elevadísimo precio. Solo, en su ermita rodeada de enormes árboles silenciosos del espeso bosque, Pedro sufría en silencio y rogaba sin cesar a la Divina Providencia que le concediera un poco de pimienta con que poder condimentar sus sencillas comidas. Pero la Divina Providencia sabía que incluso una pequeñísima dosis de pimienta hubiera comprometido la vida espiritual de Pedro y, por tanto, en vez de pimienta le enviaba lluvia, nieve y rayos.[3] Se trataba de una decisión sabia y justa desde el punto de vista divino, pero no desde el punto de vista de Pedro, que era un hombre fuera de lo corriente. Solo en su ermita, desengañado por los continuos fracasos que obtenían sus plegarias, Pedro fue elaborando un gran plan: promover una cruzada para liberar la Tierra Santa de la opresión musulmana, que permitiría, al mismo tiempo, abrir de nuevo las vías de comunicación con Oriente y, por lo tanto, reabastecer a Europa de pimienta de un

---

3.   En el famoso escrito *Statistical Inquiries into the Efficacy of Prayer* de Francis Galton no aparece ninguna referencia al resultado negativo de las plegarias de Pedro.

modo regular. Así podía obtener de una sola vez la seguridad de una dulce recompensa futura en el cielo, y el premio picante en la tierra. En cuanto al éxito de la empresa, no podían caber dudas: ¿cómo podría el Señor Dios Padre, que conocía sin duda la recóndita aspiración de Pedro, negar su ayuda a una empresa que tenía por objeto aniquilar a los musulmanes y liberar la Tierra Santa?

Es increíble cómo una idea puede llegar a transformar a un hombre. Pedro el Ermitaño, el silencioso y solitario Pedro, abandonó los grandes y silenciosos árboles del espeso bosque y empezó su peregrinación de cabaña en cabaña, de aldea en aldea, de castillo en castillo, inflamando almas y corazones con un lenguaje irresistible. «Era un gran orador», escribió Guillermo de Tiro con admiración. Pero el mérito de su éxito no hay que atribuírselo sólo a él, sino también a una serie de factores socioculturales.

5

En todas las formas de migración humana existen unas fuerzas de atracción y de estímulo. La pimienta fue, sin duda, la fuerza de atracción; el vino fue la fuerza de estímulo. El francés Rutebeuf cuenta que, tras una noche de abundantes libaciones, los nobles estaban henchidos de fervor por la Cruzada, y soñaban en voz alta con proezas en la batalla y acciones gloriosas. Esto lo escribía Rutebeuf en el siglo XIII, pero el sentido de su testimonio puede ser retrotraído a Pedro y a sus secuaces. Como ya tuve ocasión de decir, según Gilberto de Nogent, Pedro «se alimentaba de pescado y de vino». Es posible que a sus secuaces no les gustara demasiado el pescado, pero en lo que se refiere al vino desde luego no ponían ninguna objeción.

Las condiciones económicas y sociales de la época facilitaron el proyecto de Pedro. La Iglesia oficial siempre había reprochado a los nobles su conducta violenta y sanguinaria. Ahora Pedro les proporcionaba la posibilidad de vapulear al prójimo y obtener al mismo tiempo elogios por parte de la Iglesia, en vez de reproches. Los jóvenes vástagos de la nobleza, privados de los derechos de sucesión según la estricta legislación feudal, vieron en el plan de Pedro la posibilidad de conquistar posesiones en Oriente y, al mismo tiempo, adquirir méritos a los ojos del Todopoderoso. Y el pueblo llano vislumbró, a su vez, la posibilidad de cambiar de vida: acabar con su miserable situación y participar en el saqueo de los tesoros orientales con el beneplácito y la bendición del Señor.

6

Antes de la Revolución industrial, los transportes y las comunicaciones eran lentos y dificultosos. Lo habían sido
también en tiempo de los romanos, aunque éstos podían
disponer de carreteras y de puentes. Tras la caída del Imperio, las carreteras se deterioraron y los puentes se hun-
dieron, con lo cual los transportes y las comunicaciones se
hicieron más penosos y más lentos. La gente empezó a utilizar, siempre que fuera posible, las vías marítimas. En
tiempos de Pedro, sin embargo, el Mediterráneo estaba
casi totalmente en manos de los piratas musulmanes. Pedro
y sus secuaces deseaban encontrarse con los musulmanes,
pero no en alta mar. Los nobles eran valerosos en la batalla, montados en un caballo, pero no lo eran cuando se hallaban al borde del mareo. Cuando uno está mareado, lo
último que puede desear es enfrentarse con un pirata
musulmán. Por esta razón, la mayoría de los cruzados
eligieron la vía terrestre, por lo menos hasta Génova o
Venecia.

El viaje era largo, y los cruzados eran muy conscientes
de ello. Además, aunque enfervorizados por el vino y las
palabras de Pedro, los cruzados se daban perfecta cuenta
de que se requeriría mucho tiempo para derrotar a los infieles. Sabían, pues, que no volverían a ver su patria ni a
sus mujeres durante muchos años.

Dejando aparte el caso extraordinario de Escandinavia,
puede afirmarse con absoluta certeza que la Europa de la
Edad Media estaba dominada indiscutiblemente por el

hombre. El hombre era dueño y señor absoluto. Lo que pudieran pensar las mujeres en su fuero íntimo, no se sabe. Aparentemente declaraban aceptar la supremacía del varón. No obstante, había un proverbio que rezaba así: «Fiarse de la propia mujer está bien, pero no fiarse está mejor». Casi todos los cruzados eran analfabetos, pero conocían bien los refranes. Así nació en aquel contexto sociocultural la idea del cinturón de castidad: uno tras otro, los cruzados se preocuparon de ponerse a cubierto de bromas pesadas colocando a sus mujeres el incómodo (para la mujer) pero tranquilizador (para el marido) cinturón.[4] Fueron tiempos prósperos para los herreros, y la metalurgia europea entró en una fase de fuerte expansión. Este fue tan sólo el primero de una serie completa de desarrollos espectaculares.

4. No todas las mujeres europeas consintieron en quedarse en casa, encerradas en los cinturones de castidad. Algunas, amantes de la pimienta, siguieron a los cruzados. Según el cronista árabe Imad ad Din, por ejemplo, cierto día «llegaron a un puerto del Oriente Medio trescientas hermosas europeas. Jóvenes y bellas, se habían unido a la expedición para ofrecerse a los cruzados. Eran hermosas y redonditas, descocadas y a la vez altivas, daban mucho y mucho recibían».

FIGURA 1

Los cruzados encontraron en Oriente muchas cosas interesantes, y olvidaron alegremente sus países de origen y a sus esposas, a las que habían dejado a salvo gracias al cinturón de castidad.

7

Los musulmanes fueron derrotados. Pedro pudo satisfacer su enorme deseo de pimienta y se olvidó de los grandes árboles silenciosos del espeso bosque. Los cruzados encontraron en Oriente cosas interesantes, y olvidaron alegremente su patria y a sus mujeres, cinturón incluido. Como escribió un cronista de la época, Fulcher de Chartres:

> Nosotros, que éramos occidentales, nos hemos vuelto orientales. Nos hemos olvidado ya de nuestro país natal. Hay quien ya posee una casa, una familia y siervos como si los hubiese recibido del padre o por derecho de herencia. Hay quien tiene por esposa no a una mujer de su tierra sino a una siria, una armenia o, incluso, una sarracena bautizada. Todos los días se reúnen con nosotros parientes y amigos que han abandonado voluntariamente en Occidente todos sus haberes. El Señor ha hecho ricos aquí a los que eran pobres allá. Las pocas monedas que tenían se han convertido en muchísimas, y todas de oro. ¿Por qué motivo, pues, deberíamos volver a Occidente?

En esta increíble aventura en que se vieron extrañamente envueltos el Señor Dios Padre, la pimienta, las monedas de oro, los eremitas, los señorones feudales y las mujeres sarracenas, los únicos que no perdieron la cabeza fueron los italianos. Entre éstos, los venecianos, en los tiempos tristes de las invasiones germánicas se habían refugiado en algunas islitas en medio de los pantanos, y en aquellas islas, como anotó un observador del siglo X, «illa gens non arat, non seminat, non vindemiat» ('aquella gente no ara, no siembra ni vendimia'). Para vivir tenían, pues, que dedicarse al comercio.

Un historiador norteamericano escribió hace algunos años que

> la avidez veneciana por los beneficios derivados del comercio y obtenidos por cualquier medio sólo podía compararse a la falta de escrúpulos que caracterizaba a los genoveses.

Un economista anglosajón igualmente crítico escribió:

> Los ingenuos cruzados se encontraron envueltos en una red de intereses comerciales que poco o nada entendían. Durante las tres primeras cruzadas los venecianos, que les habían proporcionado las naves, les engañaron descaradamente, igual que un mercader sin escrúpulos engaña en el mercado al tonto del pueblo.

El caso es que los italianos habían intuido el enorme potencial comercial que proporcionaba la ocupación cristiana de la Tierra Santa. Pedro no era el único europeo que deseaba intensamente la pimienta. Como Pedro, había en Occidente decenas de millares, y los italianos —aun sin haber seguido cursos de prospección de mercado— se adueñaron del comercio y obtuvieron beneficios monopolísticos notables. Si lo hubieran hecho los holandeses, los alemanes o los ingleses, habrían sido citados en los manuales de historia como ejemplos admirables de ética protestante y encomiables campeones del protocapitalismo. Tratándose tan sólo de italianos, fueron definidos como ejemplos deplorables de «avidez» y de «falta de escrúpulos comerciales». En cualquier caso, tanto se afanaron los mercaderes italianos que el comercio de la pimienta entró en una fase secular de excepcional expansión. En Alejandría una calle entera, casi un barrio entero, fue destinado al comercio de la pimienta, y en Occidente, tras unos siglos de ausencia casi total, la pimienta reapareció en cantidades cada vez mayores en los mercados y en las mesas.

8

Europa occidental se transformó como por encanto. Del lugar lóbrego y triste que era, pasó a ser una tierra desbordante de vitalidad, energía y optimismo. El aumento del consumo de pimienta incrementó el vigor en los hombres que, al verse rodeados de tantas hermosas mujeres guardadas por sus cinturones de castidad, experimentaron un repentino y enorme interés por la elaboración del hierro; muchos se hicieron herreros y casi todos se dedicaron a la producción de llaves. Este hecho tuvo dos importantes consecuencias:

1.   La creciente frecuencia del apellido Smith ('herrero') en Inglaterra, Schmidt en Alemania, Ferrari, Ferrario, Ferrero o Fabbri en Italia, Favre, Febvre, Lefevre en Francia.

2.   El desarrollo de la metalurgia europea que entró definitivamente en fase de expansión y de *self-sustained growth* ('crecimiento autosostenido').

La pimienta tenía una importante cualidad: que no se deterioraba. Era, además, un bien extremadamente líquido, ya que nadie con la cabeza sobre los hombros lo hubiera rechazado. Podía, pues, utilizarse no sólo como fuente de energía sino también como elemento de intercambio. Puesto que la pimienta era usada a menudo como moneda, los mercaderes se convirtieron también en banqueros y practicaron la usura tanto con los pobres como con los señorones manirrotos. En el fondo de su corazón sabían muy bien que vendiendo armas a Saladino, pimienta afrodisíaca a los europeos y practicando la usura en gran escala se volvían extremadamente sospechosos a los ojos de Dios. Ocurrió entonces que, con objeto de tranquilizar su conciencia, destinaron notables sumas a actos de caridad y a donaciones a la Iglesia. Los mercaderes italianos tenían a gala ser los más competentes en contabilidad y en administración y, por consiguiente, anotaron con precisión y meticulosidad estas sumas en cuentas especiales, que figuraban en los libros mayores como «cuenta de Nuestro Señor Dios».

Una buena parte de las donaciones que los obispos y abades recibieron de los mercaderes las gastaron en la construcción o reconstrucción de iglesias, catedrales y monasterios. Además, los obispos y abades, que durante siglos habían acumulado inmensos tesoros sometiendo la economía europea a una gravosísima presión deflacionista, ahora que había pimienta disponible en el mercado abrieron sus arcas y pusieron en circulación fortunas enormes que aumentaron la demanda global efectiva. La gran cantidad de dinero que se gastó en la construcción de las catedrales procuró trabajo y dinero a los albañiles quienes, a su vez, emplearon el dinero ganado en adquirir pan y vestidos, con lo cual proporcionaron trabajo a los panaderos y sastres. De este modo, el «multiplicador» sostuvo y multiplicó el desarrollo de la economía europea.

Obviamente la población aumentó, pero a causa de: *a*) la expansión del comercio de la pimienta, *b*) los efectos a la alza y a la baja de dicha expansión y *c*) los efectos del «mul-

FIGURA 2

Obispos y abades, que eran obsequiados con donaciones de los
comerciantes, invirtieron buena parte de ellas en la construcción o
reconstrucción de iglesias, catedrales y monasterios.

tiplicador» y del «acelerador», la tasa de crecimiento de la renta superó la tasa de población, la renta per cápita aumentó y hasta finales del siglo XIII Occidente consiguió evitar la caída en la trampa malthusiana.

En términos cliométricos, la situación puede expresarse de la siguiente manera.

A falta de grandes movimientos migratorios

$$\Delta N = B - D$$

donde ΔN representa el aumento de la población, B el número de nacimientos y D el de defunciones. D fluctuaba fuertemente en este breve periodo, aunque en torno a un nivel más o menos constante. Por otro lado

$$B = \alpha P_c$$

donde B representa los nacimientos, α es la constante afrodisíaca de la pimienta y P_c es el consumo de pimienta. Al aumentar P_c, B y ΔN asumían valores positivos muy elevados. Podemos identificar $P_c = P_t$, siendo P_t el comercio de la pimienta. De acuerdo con lo que hemos afirmado poco antes, a propósito de las catedrales, albañiles, panaderos y sastres, está claro que $\Delta Y = \beta P_c$, siendo ΔY el incremento de la renta. De todo esto se deriva que:

$$\Delta N = (\alpha/\beta) \, \Delta Y - D$$

Supuesto que $\alpha/\beta < 1$, tenemos:

$$\Delta N = \alpha/\beta \ \Delta \ Y - D < \Delta \ Y - D$$

$$\Delta N < \Delta \ Y - D < \Delta \ Y$$

En otras palabras, la tasa de crecimiento de la renta aumentó más rápidamente que la tasa de población y, como se ha dicho ya antes, se evitó la caída en la trampa malthusiana.

A la revolución económica le siguió una importante revolución social. Un sociólogo norteamericano escribió a este respecto, hace algunos años, que

> una versión preprotestante de la *Ética protestante* de Weber desempeñó un papel fundamental en la decadencia del feudalismo. En poco tiempo, por una razón u otra, las ciudades crecieron como complemento de los propietarios inmobiliarios. Al acumularse el capital en las ciudades, los propietarios inmobiliarios se vieron obligados a recurrir a ciertas medidas que, en último extremo, determinaron la caída del sistema [feudal].

Veintisiete páginas de anotaciones algebraicas (generosamente subvencionadas por una academia de las ciencias) han sido necesarias para sostener, elaborar y aclarar esta hilarante afirmación.

En Europa occidental los protestantes «preprotestantes» tuvieron un notable éxito. Dentro de las murallas, que poco a poco se iban ampliando al extenderse las ciudades, los protestantes preprotestantes (es decir, la burguesía mercantil urbana) adquirieron una posición social cada vez más importante, y un papel cada vez más dinámico. Mientras que los aristócratas enseñaban a sus hijos a montar a caballo, cazar y batirse en duelo, los protestantes preprotestantes, por su parte, abrían en las ciudades escuelas de contabilidad. Solamente en un punto las dos clases estaban de acuerdo: explotar al máximo a los campesinos, que no eran considerados como hombres sino como animales de carga. De vez en cuando los campesinos se alzaban en rebelión, pero siempre acababan por ser sometidos de nuevo a palos.

Como repetían a coro los juglares de la época:

> Rusticani non civiles
> semper erunt et sunt viles
> Rusticani sunt fallaces
> sunt immundi, sunt mendaces.

9

Inglaterra ha tenido siempre un clima lluvioso, y no es ca-
sual que fuera un inglés quien inventó el paraguas. En la
época de la que estamos hablando, Inglaterra, además de
ser un país lluvioso, era también un país subdesarrollado (y
subdesarrollado no sólo teniendo en cuenta los parámetros
de hoy en día, sino tomando como base los mismos parámetros de la época). Dado que era un país lluvioso y, por
tanto, melancólico y, además, subdesarrollado, Inglaterra
era un país relativamente poco poblado. Este conjunto de
circunstancias tuvo una serie de consecuencias importantes. Las lluvias copiosas y el clima húmedo favorecían la
existencia de excelentes y abundantes pastos. La existencia
de excelentes y abundantes pastos favorecía la existencia de rebaños de ovejas excepcionales. La existencia de rebaños de ovejas excepcionales significaba abundancia de
lana de primerísima calidad. El hecho de que los habitantes fueran pocos y poco desarrollados suponía, a su vez: *a*)
que la producción de lana superaba sus necesidades y *b*)
que en lugar de transformar la lana en producto acabado
(es decir, tejidos), los ingleses durante mucho tiempo continuaron ofreciendo su lana a la exportación como materia
prima.

　　Llegados a este punto, y aun a costa de interrumpir el
hilo de la narración, se me ocurre de pronto hacer una con-
frontación entre el destino de Inglaterra y el de Italia. Inglaterra dispuso de excelente lana cuando (en la Edad Media) la lana era la materia prima más buscada; dispuso de

excelente y abundante carbón cuando (en tiempos de la Revolución industrial) la materia prima más valiosa era el carbón, y dispuso del petróleo del mar del Norte cuando (en nuestros días) el petróleo se convirtió en la fuente de energía más utilizada en la actividad productiva. En cambio, Italia tuvo lana escasa y birriosa en la Edad Media, escasísimo y miserable carbón en la Revolución industrial, y poquísimo y miserable petróleo en la época actual; en compensación, dispuso siempre de abundante mármol, que utilizó sobre todo para adornar iglesias y erigir monumentos funerarios en los cementerios.

La necesidad agudiza el ingenio, y los italianos de la Edad Media supieron cómo agudizarlo. En el continente, los protestantes preprotestantes de categoría gastaban bastante dinero en vestirse y andaban siempre en busca de telas refinadas. Como dos más dos son cuatro, los comerciantes italianos relacionaron ambos hechos: importaron las lanas inglesas, instalaron eficientes manufacturas de tejidos de lana, mecanizando el proceso productivo mediante unos molinos llamados batanes, y obtuvieron pingües beneficios.

Gran parte de la lana inglesa procedía de las tierras de los monasterios y conventos ingleses. Francesco de Balduccio Pegolotti, un comerciante florentino bien informado de la primera mitad del siglo XIV, incluye en su relación:

67 casas religiosas de la orden del Císter
41 casas religiosas de la orden de los premonstratenses
57 casas religiosas de la orden negra (benedictinos)
20 conventos de monjas

Estas instituciones vendían las mejores lanas de Inglaterra.

El floreciente comercio de la lana hizo muy ricos a los monjes ingleses. Una parte de esta riqueza fue destinada a la reconstrucción y al embellecimiento de los monasterios; otra parte se dedicó a la adquisición de nuevas tierras, pero una gran parte fue invertida en combatir la melancolía que se apodera de quienes viven en lugares lluviosos y húmedos. Por mucho que les gustara la pimienta, siendo monjes no podían consumirla en exceso, dados sus efectos colaterales. No les quedaba, pues, sino el vino.

El vino fue llevado por primera vez a Inglaterra por los romanos, y los cristianos se afanaron mucho por poseerlo. En la Alta Edad Media, cuando el comercio a larga distancia era prácticamente inexistente y el abastecimiento de vino procedente de Francia era bastante inseguro, los ingleses cultivaron extensamente la vid en su propia isla. Pero su vino era pésimo. Guillermo el Conquistador lo sabía y, cuando decidió invadir Inglaterra en 1066, se acordó de llevar consigo una buena provisión de vino francés.

Los acontecimientos de los siglos siguientes complicaron notablemente las cosas. El día de Navidad del año 1137, Leonor de Aquitania se casaba con Luis VII, rey de Francia, aportándole como dote los extensísimos territorios del ducado de Aquitania junto con sus magníficos viñedos. No obstante, el matrimonio no estaba destinado a tener éxito. «Leonor probablemente no era la mujer más adecuada para un hombre tan sensible como Luis VII.» Con esta frase un historiador inglés se adjudicó el premio mundial del *understatement*. Leonor, según los datos que tenemos de ella, era muy hermosa, inteligentísima, intrigante, indomable y extraordinariamente exuberante. Devoraba la pimienta como si de chocolate se tratara (aunque el chocolate en aquellos tiempos aún no había llegado a Europa). Luis VII, en cambio, era un hombre piadoso, enamorado, eso sí, de su mujer, pero absolutamente incapaz de satisfacerla intelectualmente, psicológicamente y físicamente: su compañía favorita eran los monjes; le gustaba cantar con ellos cantos litúrgicos.

En el año 1144 el papa Eugenio III, apesadumbrado y deprimido por las pérdidas de hombres y territorios que sufrían los cruzados en el Oriente Medio a causa de la reacción árabe, convenció al rey Luis para que organizara una segunda cruzada con la que detener el avance musulmán. El rey Luis, con la ayuda de Bernardo de Claraval, consiguió convencer a sus nobles para que le siguieran. Leonor no era el tipo de mujer que se queda en casa haciendo ganchillo encerrada en un cinturón de castidad, y decidió ir a la Cruzada con su marido y su séquito de nobles caballeros.

La aventura del Oriente Medio, sin embargo, en vez de estrechar los vínculos entre marido y mujer acabó por romperlos del todo. Leonor se mostraba excitadísima a la vista de las maravillas y los placeres del Oriente, y se volvió más exuberante que nunca, mientras que el rey Luis —cuando no estaba ocupado en la lucha contra los musulmanes— dedicaba cada vez más su tiempo libre a acompañar a los monjes en sus cantos litúrgicos. Leonor iba diciendo que su

FIGURA 3

Cuando Guillermo el Conquistador se preparaba para marchar a la conquista de Inglaterra en el año 1066 no olvidó llevar consigo provisiones suficientes de vino francés.

marido «era más monje que rey» y según un cronista, desde luego poco benévolo, la reina increpó un día al rey gritándole que «valía menos que una pera podrida».

La pareja regresó a París en noviembre del año 1149. A su alrededor había dos abades: el dulce, culto y esteta Suger, y el pelma por antonomasia Bernardo de Claraval. Suger murió en enero de 1151 y con él desapareció un elemento que se preocupaba por salvar el matrimonio de la real pareja. Quedaba el pelmazo que, por el contrario, siempre había alimentado sentimientos de desconfianza y hostilidad hacia Leonor, igual que albergaba sentimientos de desconfianza y de hostilidad hacia cualquier mujer, especialmente si era atractiva. La nefasta influencia del pelma sobre Luis VII fue decisiva. El rey pidió al papa la anulación del matrimonio alegando motivos de consanguineidad, y en marzo de 1152 el matrimonio entre Luis y Leonor fue anulado.

Una vez obtenida la anulación, Luis ordenó que en todas las iglesias de Francia se entonara el *Te Deum*, pero aún no había acabado de sonar la última nota del *Te Deum* cuando el rey Luis recibió la terrible noticia de que la indomable Leonor se había casado, el día 18 de mayo de 1152, con Enrique, duque de Normandía, doce años más joven que ella y heredero del trono de Inglaterra por vía materna. Enrique había heredado de su padre Normandía, Maine, Anjou y Turena. Al casarse con Leonor se aseguró también Aquitania. En 1154 subió al trono de Inglaterra. Así pues, en 1154 el rey de Inglaterra tenía el control no sólo de Inglaterra sino también de más de dos tercios del suelo francés, junto con los magníficos viñedos que en él prosperaban.

Fue entonces cuando el vino francés comenzó a afluir al mercado inglés en cantidades considerables. Tras la pérdida de Poitou y Normandía, el rey Juan hizo de Burdeos el centro del poder inglés en Francia, por eso los consumidores ingleses empezaron a interesarse por el clarete de Burdeos. La primera partida de vino de Gascuña llegó a Southampton en 1213, y a Bristol al año siguiente. Por aquella época, la venta de lana por parte de los monjes ingleses entraba en una fase secular de rápida expansión. A finales del siglo XIII, Inglaterra exportaba una media de 30.000 sacos al año de lana en bruto. De modo paralelo creció el comercio del vino gascón, y los historiadores creen que a principios del siglo XIV Burdeos exportaba a Inglaterra una media de 700.000 hectolitros de vino al año.

Fue entonces cuando el capitalismo medieval alcanzó su momento cumbre. La pimienta, el vino y la lana eran los principales ingredientes de la prosperidad general, manteniendo naturalmente la pimienta el papel de lo que Marx ha llamado el motor de la historia.

10

El longobardo Bertoldo se sentía infeliz en los días de sol porque sabía que la única cosa que cabía esperar eran días de mal tiempo. Y, en cambio, era feliz cuando llovía por la razón opuesta. Había habido demasiados días de sol en la economía de Europa occidental entre el año 1000 y el 1300; según la ley de Bertoldo, había que esperar días de mal tiempo. Y así sucedió.

A los reyes ingleses les gustaba mucho el vino y le rendían auténtico culto, por decirlo de algún modo. Cuando Enrique, el hijito de Eduardo, enfermó la noche de Pentecostés, el rey mandó añadir un galón de vino al agua del baño del muchacho.

En la Edad Media se producía el vino sin prestar atención especial al proceso de envejecimiento, por lo cual una parte considerable de la enorme reserva real acababa agriándose. Los soberanos ingleses, por regla general, se aseguraban de que el buen vino estuviese reservado para su mesa y de que a los invitados se les sirviera el que se había estropeado. Pedro de Blois, escribano en la corte de Enrique II, cuenta que:

> He visto servir, incluso a la alta nobleza, un vino tan turbio que se veían obligados a cerrar los ojos, apretar los dientes y, con la boca torcida y gran repugnancia, filtrar y hasta beber aquella porquería.

En definitiva, para los soberanos ingleses el vino era una cosa seria. No debe, pues, sorprendernos que en 1330 surgiera entre el rey de Inglaterra y el rey de Francia una grave disputa por el control de las zonas vinícolas francesas. El infausto resultado de este litigio fue una guerra conocida con el nombre de «Guerra de los Cien Años», aunque la verdad es que duró 116. El verdadero héroe de esta contienda interminable fue una mujer, Juana de Arco, que luchó valerosamente contra el rey de Inglaterra por conseguir que el vino francés permaneciera bajo control francés en su *denominación de origen*. La larga guerra arruinó económicamente a ambos países, y supuso también la ruina de muchos viñedos franceses, que fueron devastados por las compañías de mercenarios. Lo cual demuestra, una vez más, la locura de las guerras.

En aquel triste periodo, Europa sufrió, además, otro flagelo. Entre el año 1000 y el 1300 de nuestra era y gracias a los efectos, entre otros, de toda la pimienta importada, la población europea había aumentado de forma considerable. Las estimaciones más recientes ofrecen las siguientes cifras, expresadas en millones de personas:[5]

	1000	1340
Italia	5	10
España	7	9
Francia	5	15
Islas Británicas	2	5
Alemania y Escandinavia	4	12

5. Las únicas cifras fiables son las que se refieren a las fechas.

Comentando este crecimiento demográfico y además los correspondientes movimientos de colonización, un famoso profesor anglorruso escribía hace algunos años:

> Mientras el movimiento de colonización avanzó con la ocupación de nuevas tierras, las cosechas de estas tierras vírgenes alentaron la creación de nuevas familias y la formación de nuevos asentamientos humanos. Con el paso del tiempo, sin embargo, el carácter marginal de las nuevas tierras no dejó de manifestarse. A las grandes cosechas les sucedieron largos periodos de ajuste de cuentas, en los cuales las tierras depauperadas, y que ya no eran nuevas, parecían querer castigar a quienes las habían puesto en cultivo. No es aventurado interpretar la decadencia de la producción agrícola como un castigo natural por un cultivo anterior excesivo.

Que los europeos merecían una especie de «castigo» por toda la pimienta que habían consumido entre el año 1000 y el 1300 d. C., está fuera de toda discusión.

Puesto que la pimienta se vendía sobre todo en los mercados urbanos, la gente invadía las ciudades y, dado que los tiempos eran aún inseguros, se apiñaba en los espacios bastante reducidos que había dentro de las murallas. Hacia 1340, París, Córdoba, Venecia y Florencia contaban con unos 100.000 habitantes; Bolonia, Roma, Milán, Londres, Colonia, Gante, Brujas y Smolensko probablemente tenían unos 50.000. Muchas otras ciudades contaban entre 10.000 y 20.000 habitantes. Si lo juzgamos con nuestros parámetros modernos, no se trata de grandes cifras. Pero si examinamos las cosas teniendo en cuenta los niveles de higiene, sanidad y conocimientos médicos de la época, nos daremos cuenta enseguida de que alrededor de 1340 la situación se había vuelto explosiva. Y de hecho explotó.

En Asia, la peste es de naturaleza endémica, y la peste que asoló Europa entre 1347 y 1351 fue sin duda de origen asiático. Procedente de Oriente, la peste apareció en Sicilia y en el sur de Francia hacia finales de 1347. En junio de 1348, había llegado a Venecia, Milán, Lyon, Burdeos, Toulouse y Zaragoza. En diciembre de 1348, había alcanzado Muhldorf, Calais, Southampton y Bristol. A finales de 1349, Escocia, Dinamarca y Noruega. No tenemos desgraciadamente un censo fiable de la población de ratas, y sus correspondientes pulgas, en Europa, entre 1347 y 1351. Sabemos, no obstante, que los acueductos romanos no se habían puesto en servicio desde la caída del Imperio, y que los habitantes de la Europa medieval rara vez tomaban un baño. En las ciudades medievales la mayoría de la gente vivía en condiciones de mugre y de miseria. Aunque no podemos proporcionar cifras exactas al respecto, podemos afirmar que en 1347 había en Europa occidental muchas más ratas y pulgas de lo que generalmente se cree.

Pero la gente de entonces no sabía que había muchas más ratas y pulgas de lo que generalmente se cree. No sabía ni siquiera que el proceso de la infección era del tipo rata → pulga → hombre. El caso es que, en el plazo de dos años, aproximadamente un tercio de la población europea desapareció, y de un modo no precisamente agradable. Fue una pesadilla. Además, la pandemia causó estragos que duraron cerca de tres siglos, en el sentido de que fue seguida por una serie de epidemias que de un modo intermitente, pero implacable, continuaron devastando alternativamente distintas partes de Europa. Hasta finales del siglo XV, la población europea se mantuvo sensiblemente por debajo de los niveles que había alcanzado en 1340.

La depresión demográfica hizo que los salarios aumentaran, lo cual supuso que sectores cada vez más amplios pudieran permitirse raciones satisfactorias de pimienta. Esto hubiera producido una enojosa escasez de pimienta en el mercado, de no ser por la oportuna intervención de los portugueses. El infante Enrique de Portugal —que fue llamado el Navegante porque enviaba a los otros a navegar— organizó la exploración sistemática de la costa occidental de África, con la esperanza (coronada finalmente por el éxito) de hallar un paso por mar que pusiera en comunicación marítima directa a Portugal con los países productores de pimienta en Extremo Oriente. Entretanto, a lo largo de las costas occidentales de África, los exploradores portugueses encontraron pimienta negra en abundancia que, aunque era de calidad muy inferior a la pimienta asiática, no por eso dejaba de ser pimienta, y en sus carabelas la trajeron a Europa en cantidades importantes.

Mientras tanto habían ido sucediendo otras cosas extrañas.

En la primera mitad del siglo XIV, la situación financiera del rey de Inglaterra no era de las más halagüeñas. Entre otras cosas, el rey había pedido prestadas a los comerciantes florentinos sumas tan considerables que sólo pensar en el pago de los intereses bastaba para provocar dolor de cabeza a sus contables. Cuando en 1337 declaró la guerra al rey de Francia por causa de aquellos benditos viñedos franceses, el rey Eduardo creyó —como creen todos los que declaran la guerra— que la suya sería una guerra relámpago y, tal como ocurre con todos los que proyectan una guerra relámpago, se equivocó de medio a medio. Su guerra relámpago duró, como ya se ha visto, 116 años, y él no vivió lo suficiente para saberlo. Lo que sí comprendió, sin embargo, desde el comienzo del berenjenal, fue que sus recursos financieros no podrían sostener el coste de la empresa. Poco después de 1340 se declaró en bancarrota e informó a los banqueros florentinos de que no pagaría sus deudas. Para los florentinos fue una pérdida desastrosa. Más aún. Desde un punto de vista psicológico fue un verdadero *shock*. Si en el mundo de los negocios no puede uno fiarse de un caballero inglés, ¿de quién diablos podrá fiarse? Los florentinos sacaron las consecuencias lógicas: abandonaron el comercio y la banca y se dedicaron a la pintura, la cultura y la poesía. Así se inició el Renacimiento mientras sobre la Edad Media descendía la palabra

FIN

Las leyes fundamentales de la estupidez humana

Introducción

La humanidad se encuentra —y sobre esto el acuerdo es unánime— en un estado deplorable. Ahora bien, no se trata de ninguna novedad. Si uno se atreve a mirar hacia atrás, se da cuenta de que siempre ha estado en una situación deplorable. El pesado fardo de desdichas y miserias que los seres humanos deben soportar, ya sea como individuos o como miembros de la sociedad organizada, es básicamente el resultado del modo extremadamente improbable —y me atrevería a decir estúpido— como fue organizada la vida desde sus comienzos.

Desde Darwin sabemos que compartimos nuestro origen con las otras especies del reino animal, y todas las especies —ya se sabe— desde el gusanillo al elefante tienen que soportar sus dosis cotidianas de tribulaciones, temores, frustraciones, penas y adversidades. Los seres humanos, sin embargo, poseen el privilegio de tener que cargar con un peso añadido, una dosis extra de tribulaciones cotidianas, provocadas por un grupo de personas que pertenecen al

propio género humano. Este grupo es mucho más podero-
so que la Mafia, o que el complejo industrial-militar o que
la Internacional Comunista. Se trata de un grupo no orga-
nizado, que no se rige por ninguna ley, que no tiene jefe, ni
presidente, ni estatuto, pero que consigue, no obstante, actuar en perfecta sintonía, como si estuviese guiado por una
mano invisible, de tal modo que las actividades de cada
uno de sus miembros contribuyen poderosamente a refor-
zar y ampliar la eficacia de la actividad de todos los demás
miembros. La naturaleza, el carácter y el comportamiento
de los miembros de este grupo constituyen el tema de las
páginas que siguen.

Es preciso subrayar a este respecto que este ensayo no
es ni producto del cinismo ni un ejercicio de derrotismo social —no más de cuanto pueda serlo un libro de microbio-
logía. Las páginas que siguen son, de hecho, el resultado de
un esfuerzo constructivo por investigar, conocer y, por lo
tanto, posiblemente neutralizar, una de las más poderosas y
oscuras fuerzas que impiden el crecimiento del bienestar y
de la felicidad humana.

1

La Primera Ley Fundamental

L a *Primera Ley Fundamental* de la estupidez humana afirma sin ambigüedad que:

Siempre e inevitablemente cada uno de nosotros subestima el número de individuos estúpidos que circulan por el mundo.[1]

A primera vista la afirmación puede parecer trivial, o más bien obvia, o poco generosa, o quizá las tres cosas a la vez. Sin embargo, un examen más atento revela de lleno la auténtica veracidad de esta afirmación. Considérese lo que sigue. Por muy alta que sea la estimación cuantitativa que

---

1. Los autores del Antiguo Testamento eran conscientes de la existencia de la Primera Ley Fundamental, y la parafrasearon al afirmar que «stultorum infinitus est numerus», pero cometieron una exageración poética. El número de personas estúpidas no puede ser infinito porque el número de personas vivas es finito.

uno haga de la estupidez humana, siempre quedan estúpidos, de un modo repetido y recurrente, debido a que:

a)   personas que uno ha considerado racionales e inteligentes en el pasado se revelan después, de repente, inequívoca e irremediablemente estúpidas;

b)   día tras día, con una monotonía incesante, vemos cómo entorpecen y obstaculizan nuestra actividad individuos obstinadamente estúpidos, que aparecen de improviso e inesperadamente en los lugares y en los momentos menos oportunos.

La *Primera Ley Fundamental* impide la atribución de un valor numérico a la fracción de personas estúpidas respecto del total de la población: cualquier estimación numérica resultaría ser una subestimación. Por ello en las páginas que siguen se designará la cuota de personas estúpidas en el seno de una población con el símbolo ε.

La Segunda Ley Fundamental

Las tendencias culturales que prevalecen hoy en día en los países occidentales favorecen una visión igualitaria de la humanidad. Se prefiere pensar en el hombre como el producto de masa de una cadena de montaje perfectamente organizada. La genética y la sociología, sobre todo, se esfuerzan por probar, con una cantidad impresionante de datos científicos y formulaciones, que todos los hombres son iguales por naturaleza, y que si algunos son más iguales que otros, esto ha de ser atribuido a la educación y al ambiente social, y no a la Madre Naturaleza.

Se trata de una opinión extendida que personalmente no comparto. Tengo la firme convicción, avalada por años de observación y experimentación, de que los hombres no son iguales, de que algunos son estúpidos y otros no lo son, y de que la diferencia no la determinan fuerzas o factores culturales sino los manejos biogenéticos de una inescrutable Madre Naturaleza. Uno es estúpido del mismo modo que otro tiene el cabello rubio; uno pertenece al grupo de los estúpidos como otro pertenece a un grupo sanguíneo. En definitiva, uno nace estúpido por designio inescrutable e irreprochable de la Divina Providencia.

Aunque estoy convencido de que una fracción ε de seres humanos es estúpida, y de que lo es por designio de la Providencia, no soy un reaccionario que pretende introducir de nuevo furtivamente discriminaciones de clase o de raza. Creo firmemente que la estupidez es una prerrogativa indiscriminada de todos y de cualquier grupo humano, y que tal prerrogativa está uniformemente distribuida según una proporción constante. Este hecho está expresado científicamente en la *Segunda Ley Fundamental*, que dice que:

La probabilidad de que una persona determinada sea estúpida es independiente de cualquier otra característica de la misma persona.

A este propósito, la Naturaleza parece realmente haberse superado a sí misma. Es archisabido que la Naturaleza, de un modo más bien misterioso, actúa de tal manera que mantiene constante la frecuencia relativa de ciertos fenómenos naturales. Por ejemplo, tanto si los hombres se reproducen en el polo norte como en el ecuador, si las parejas que se unen son desarrolladas o subdesarrolladas, si son negras, rubias, blancas o amarillas, la proporción varón-mujer entre los recién nacidos es constante, con un ligero predominio de los varones. No sabemos de qué manera la Naturaleza obtiene este extraordinario resultado, pero sabemos que para obtenerlo debe operar con grandes números. El hecho extraordinario acerca de la frecuencia de la estupidez es que la Naturaleza consigue actuar de tal modo que esta frecuencia sea siempre y dondequiera igual a la probabilidad ε, independientemente de la dimensión del grupo, y que se dé el mismo porcentaje de personas estúpidas, tanto si se someten a examen grupos muy amplios como grupos reducidos. Ningún otro tipo de fenómenos objeto de observación ofrece una prueba tan singular del poder de la Naturaleza.

La prueba de que la educación y el ambiente social no tienen nada que ver con la probabilidad ε nos la han proporcionado una serie de experimentos llevados a cabo en muchas universidades del mundo. Podemos clasificar la población de una universidad en cuatro grandes grupos: bedeles, empleados, estudiantes y cuerpo docente.

Cada vez que se analizó el grupo de bedeles se halló que una fracción ε eran estúpidos. Teniendo en cuenta que el valor de ε era más elevado de lo que se esperaba (*Primera Ley*), se juzgó, de entrada, pagando el tributo a las modas en curso, que era debido a la pobreza de las familias de las que generalmente proceden los bedeles, y también a su escasa instrucción. Pero al analizar los grupos más elevados se encontró que el mismo porcentaje dominaba también entre los empleados y los estudiantes. Más impresionantes todavía fueron los resultados obtenidos entre el cuerpo docente. Tanto si se analizaba una universidad grande como una pequeña, un instituto famoso o uno desconocido, se encontró que la misma fracción ε de profesores estaba formada por estúpidos. Fue tal la sorpresa ante los resultados obtenidos que se resolvió extender las investigaciones a un grupo especialmente seleccionado, a una auténtica «elite», a los galardonados con el premio Nobel. El resultado confirmó los poderes supremos de la Naturaleza: una fracción ε de los premios Nobel estaba constituida por estúpidos.

Este resultado es difícil de aceptar y de digerir, pero existen demasiadas pruebas experimentales que confirman básicamente su validez. La *Segunda Ley Fundamental* es una ley de hierro, y no admite excepciones. El Movimiento para la Liberación de la Mujer apreciará en todo su valor la *Segunda Ley*, por cuanto esta ley demuestra que los individuos estúpidos son proporcionalmente tan numerosos entre los hombres como entre las mujeres. La población de los países del Tercer Mundo hallará consuelo en esta *Segunda Ley*, en la medida en que demuestra que los pueblos llamados «desarrollados» no son al fin y al cabo tan desarrollados. Guste o no guste esta *Segunda Ley Fundamental*, en cualquier caso sus implicaciones son diabólicamente inevitables. Tanto si uno se dedica a frecuentar los círculos elegantes como si se refugia entre los cortadores de cabezas de la Polinesia, si se encierra en un monasterio o decide pasar el resto de su vida en compañía de mujeres hermosas y lujuriosas, persiste el hecho de que deberá siempre enfrentarse al mismo porcentaje de gente estúpida, porcentaje que (de acuerdo con la *Primera Ley*) superará siempre las previsiones más pesimistas.

3

Un intervalo técnico

Llegados a este punto, es necesario aclarar el concepto de estupidez humana y definir la *dramatis persona*.

Los individuos se caracterizan por diferentes grados de propensión a la socialización. Existen individuos para quienes cualquier contacto con otros individuos es una dolorosa necesidad. Éstos se ven obligados, literalmente, a soportar a las personas, y las personas se ven obligadas a soportarlos a ellos. En el otro extremo del espectro, se hallan los individuos que no pueden soportar de ningún modo vivir solos, y están dispuestos a pasar el tiempo incluso en compañía de personas que desprecian antes que estar solos. Entre estos dos extremos, existe una gran variedad de situaciones, si bien la gran mayoría de personas se halla más próxima al tipo que no puede soportar la soledad que al tipo que no es propenso a las relaciones humanas. Aristóteles reconoció este hecho cuando escribió que «el hombre es un animal social», y la validez de su afirmación está demostrada por el hecho de que nos movemos en grupos sociales, que existen más personas casadas que solteras o célibes, que se malgasta mucho dinero y tiempo en exasperantes y aburridos *cocktail parties*, y que la palabra soledad generalmente tiene connotaciones negativas.

Tanto si uno pertenece al tipo eremita como si pertenece al tipo mundano, en cualquier caso tiene que tratar con la gente, si bien con intensidad diferente. De vez en cuando también los eremitas se encuentran con personas. Además, uno se pone en relación con los seres humanos incluso evitándolos. Lo que podría haber hecho por un individuo o por un grupo, y no lo he hecho, representa un «coste-oportunidad» (es decir, una ganancia frustrada o una pérdida) para aquella persona concreta o grupo concreto. La moraleja es que cada uno de nosotros tiene una especie de cuenta corriente con cada uno de los demás. De cualquier acción, u omisión, cada uno de nosotros obtiene una ganancia o una pérdida, y al mismo tiempo proporciona una ganancia o una pérdida a algún otro. Las ganancias y las pérdidas pueden ser ilustradas oportunamente por una gráfica, y la figura 1 muestra la gráfica base utilizable para este fin.

La gráfica se refiere a un individuo, al que llamaremos Ticio. El eje de la X mide la ganancia que Ticio obtiene con su acción. El eje de la Y muestra la ganancia que otra persona, o grupo de personas, obtiene como consecuencia de la acción de Ticio. La ganancia puede ser positiva, nula o negativa; una ganancia negativa equivale a una pérdida. El eje de la X mide las ganancias positivas de Ticio a la derecha del punto O, mientras que las pérdidas de Ticio son

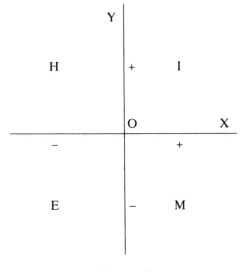

FIGURA 1

anotadas a la izquierda del punto O. El eje Y, por encima y por debajo respectivamente del punto O, mide las ganancias y las pérdidas de la persona, o grupos de personas, con quienes Ticio está relacionado.

Para aclarar las cosas, pongamos un ejemplo hipotético refiriéndonos a la figura 1. Ticio realiza una acción en la que implica a Cayo. Si Ticio consigue una ganancia por su acción y a Cayo esta misma acción le reporta una pérdida, la acción ha de ser registrada en la gráfica con un signo que aparecerá en algún punto del área M.

Las ganancias y las pérdidas pueden ser registradas en el eje de las X y de las Y en dólares, francos o liras, como se quiera, pero deben incluirse también las recompensas y

las satisfacciones psicológicas y emotivas, y los estrés psico-
lógicos y emotivos. Estos son bienes (o males) inmateriales
y, por lo tanto, difíciles de medir con parámetros objetivos.
El análisis del tipo costes-beneficios puede ayudar a resolver el problema, aunque no completamente; pero no quie-
ro aburrir al lector con detalles técnicos: un margen de im-
precisión puede afectar a la medición, pero no afecta a la
esencia del argumento. En todo caso, un punto debe que-
dar claro. Al considerar la acción de Ticio, y al valorar los
beneficios o las pérdidas que Ticio obtiene, se debe tener
en cuenta el sistema de valores de Ticio; pero para deter-
minar la ganancia o la pérdida de Cayo es absolutamente
indispensable tomar como referencia el sistema de valores
de Cayo, y no el de Ticio. Con demasiada frecuencia se ol-
vida esta norma de *fair play*, y muchos problemas surgen
precisamente del hecho de que no se respeta este principio
de conducta cívica. Recurramos una vez más a un ejemplo
trivial. Ticio da un golpe en la cabeza a Cayo y obtiene por
ello una satisfacción. Tal vez Ticio sostenga que Cayo es feliz por haber recibido un golpe en la cabeza. Pero es muy
probable que Cayo no sea de la misma opinión. Es más,
puede que Cayo considere que el golpe en su cabeza ha
sido un desagradabilísimo incidente. Si el golpe en la cabeza de Cayo ha sido una ganancia o una pérdida para Cayo,
es Cayo quien debe decidirlo, y no Ticio.

4

La Tercera Ley Fundamental
(ley de oro)

L a *Tercera Ley Fundamental* presupone, aunque no lo
enuncie explícitamente, que todos los seres humanos
están incluidos en una de estas cuatro categorías fundamentales: los incautos, los inteligentes, los malvados y los
estúpidos. El lector perspicaz comprenderá fácilmente que
estas cuatro categorías corresponden a las cuatro áreas H,
I, M, E de la gráfica base (véase figura 1).

Si Ticio comete una acción y obtiene una pérdida, al
mismo tiempo que procura un beneficio a Cayo, el signo de
Ticio recaerá en el campo H: Ticio ha actuado como un incauto. Si Ticio realiza una acción de la que obtiene un beneficio, y al mismo tiempo procura un beneficio también
para Cayo, el signo de Ticio recaerá en el área I: Ticio ha
actuado inteligentemente. Si Ticio realiza una acción de la
que obtiene un beneficio causando un perjuicio a Cayo, el
punto de Ticio deberá situarse en el área M: Ticio ha actuado como un malvado. La estupidez corresponde al área
E, y a todas las posiciones sobre el eje Y, por debajo del

punto O. La *Tercera Ley Fundamental* aclara explícitamente que:

Una persona estúpida es una persona que causa un
daño a otra persona o grupo de personas sin obtener, al
mismo tiempo, un provecho para sí, o incluso obteniendo
un perjuicio.

A la vista de esta *Tercera Ley Fundamental*, las personas racionales reaccionan instintivamente con escepticismo
e incredulidad. El caso es que las personas razonables tienen dificultades para imaginar y comprender un comportamiento irracional. Pero dejémonos de teorías y veamos qué
es lo que nos ocurre en la práctica en la vida diaria. Todos
nosotros recordamos ocasiones en que, desgraciadamente,
estuvimos relacionados con un individuo que consiguió una
ganancia, causándonos un perjuicio a nosotros: nos encon-
trábamos frente a un malvado. También podemos recordar
ocasiones en que un individuo realizó una acción, cuyo resultado fue una pérdida para él y una ganancia para nosotros: habíamos entrado en contacto con un incauto.[1] Igualmente nos vienen a la memoria ocasiones en que un individuo realizó una acción de la que ambas partes obtuvi-
mos provecho: se trataba de una persona inteligente. Ta-

---

1. Nótese la precisión «un individuo *realizó* una acción». El hecho
de que fue *él* quien inició la acción es decisivo a la hora de establecer
que se trata de un incauto. Si hubiese sido *yo* quien inició la acción que
determinó mi ganancia y su pérdida, la conclusión sería diferente: en
este caso yo habría actuado como un malvado.

les casos ocurren continuamente. Pero si reflexionamos bien, habrá que admitir que no representan la totalidad de los acontecimientos que caracterizan nuestra vida diaria. Nuestra vida está salpicada de ocasiones en que sufrimos pérdidas de dinero, tiempo, energía, apetito, tranquilidad y buen humor por culpa de las dudosas acciones de alguna absurda criatura a la que, en los momentos más impensables e inconvenientes, se le ocurre causarnos daños, frustraciones y dificultades, sin que ella vaya a ganar absolutamente nada con sus acciones. Nadie sabe, entiende o puede explicar por qué esta absurda criatura hace lo que hace. En realidad, no existe explicación —o mejor dicho— sólo hay una explicación: la persona en cuestión es estúpida.

5

Distribución de la frecuencia

La mayor parte de las personas no actúa de un modo coherente. En determinadas circunstancias una persona actúa inteligentemente, y en otras circunstancias esta misma persona puede comportarse como una incauta. La única excepción importante a la regla la representan las personas estúpidas que, normalmente, muestran la máxima tendencia a una total coherencia en cualquier campo de actuación.

De esto no podemos deducir que solamente se pueda señalar en la gráfica la posición de los individuos estúpidos. Podemos calcular para cada persona su posición sobre el plano de la figura 1, tomando como base la media ponderada. Una persona inteligente puede alguna vez comportarse como una incauta, como puede también alguna vez adoptar una actitud malvada. Pero, puesto que la persona en cuestión es fundamentalmente inteligente, la mayor parte de sus acciones tendrán la característica de la inteligencia, y su media ponderada se situará en el cuadrante I de la figura 1.

El hecho de que sea posible colocar en la gráfica a los individuos en vez de sus acciones, permite hacer algunas digresiones sobre la frecuencia de los malvados y de los estúpidos.

El malvado perfecto es aquel que con sus acciones causa a otro pérdidas equivalentes a sus ganancias. El tipo de malvado más ordinario es el ladrón. Una persona que roba 10.000 liras, sin causar daños posteriores, es un malvado perfecto: tú pierdes 10.000 liras, él gana 10.000 liras. En la gráfica, los malvados perfectos aparecerán sobre la línea diagonal de 45 grados que divide el área M en dos subáreas perfectamente simétricas (línea OM de la figura 2).

Sin embargo, los malvados perfectos son relativamente pocos. La línea OM divide el área M en las dos subáreas M_i y M_e, y la gran mayoría de los malvados se sitúan en algún punto de estas dos subáreas.

Los malvados que ocupan el área M_i son aquellos que obtienen para sí ganancias mayores que las pérdidas que ocasionan a los demás. Todos los malvados que ocupan una posición en el área M_i son deshonestos y con un grado elevado de inteligencia, y cuanto más se acerca su posición a la parte derecha del eje de la X, tanto más dichos malvados participan de las características de la persona inteligente. Desgraciadamente, los individuos que ocupan una posición en el área M_i no son muy numerosos. La mayor parte de los malvados se sitúa en realidad en el área M_e. Los malvados que se ubican en esta área son individuos cuyas acciones les proporcionan beneficios inferiores a las pérdidas ocasionadas a los demás. Si alguien hace que te caigas y te rompas una pierna para quitarte 10.000 liras, o te causa daños en el automóvil por un valor de 500.000 liras para robarte una radio insignificante, por la que no va a obtener más de 30.000, si alguien te dispara y te mata con el único objetivo de pasar una noche en Montecarlo en compañía de tu mujer, podemos estar seguros de que no se trata de un malvado «perfecto». Aun utilizando sus parámetros para medir sus ganancias (pero usando los nuestros para medir nuestras pérdidas), este individuo se situará en el área M_e, muy cerca del límite de la estupidez pura.

La distribución de la frecuencia de personas estúpidas es completamente diferente de la distribución de los mal-

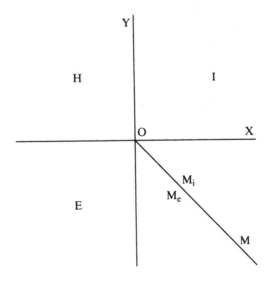

Figura 2

vados, de los inteligentes y de los incautos. Mientras que la mayoría de éstos se hallan esparcidos en el ámbito de su propia área, los estúpidos están concentrados, en su mayor parte, a lo largo del eje de la Y, por debajo del punto O. La razón de esto es que la gran mayoría de personas estúpidas son fundamentalmente y firmemente estúpidas; en otras palabras, insisten con perseverancia en causar daños o pérdidas a otras personas sin obtener ninguna ganancia para sí, sea esto positivo o negativo. Pero aún hay más. Existen personas que, con sus inverosímiles acciones, no sólo causan daños a otras personas, sino también a sí mismas. Estas personas pertenecen al género de los superestúpidos, los cuales, siguiendo nuestro sistema de cálculo, aparecerán en cualquier punto del área E, a la izquierda del eje de la Y.

Estupidez y poder

Como ocurre con todas las criaturas humanas, también los estúpidos influyen sobre otras personas con intensidad muy diferente. Algunos estúpidos causan normalmente sólo perjuicios limitados, pero hay otros que llegan a ocasionar daños terribles, no ya a uno o dos individuos, sino a comunidades o sociedades enteras. La capacidad de hacer daño que tiene una persona estúpida depende de dos factores principales. Antes que nada depende del factor genético. Algunos individuos heredan dosis considerables del gen de la estupidez, y gracias a tal herencia pertenecen, desde su nacimiento, a la elite de su grupo. El segundo factor que determina el potencial de una persona estúpida procede de la posición de poder o de autoridad que ocupa en la sociedad. Entre los burócratas, generales, políticos y jefes de Estado se encuentra el más exquisito porcentaje ε de individuos fundamentalmente estúpidos, cuya capacidad de hacer daño al prójimo ha sido (o es) peligrosamente potenciada por la posición de poder que han ocupado (u ocupan). ¡Ah!, y no nos olvidemos de los prelados.

La pregunta que a menudo se plantean las personas razonables es cómo es posible que estas personas estúpidas lleguen a alcanzar posiciones de poder o de autoridad.

Las clases y las castas (tanto laicas como eclesiásticas) fueron las instituciones sociales que permitieron un flujo constante de personas estúpidas a puestos de poder en la mayoría de las sociedades preindustriales. En el mundo industrial moderno, las clases y las castas van perdiendo cada vez más su importancia. Pero el lugar de las clases y las castas lo ocupan hoy los partidos políticos, la burocracia y la democracia. En el seno de un sistema democrático, las elecciones generales son un instrumento de gran eficacia para asegurar el mantenimiento estable de la fracción ε entre los poderosos. Hay que recordar que, según la *Segunda Ley*, la fracción ε de personas que votan son estúpidas, y las elecciones les brindan una magnífica ocasión de perjudicar a todos los demás, sin obtener ningún beneficio a cambio de su acción. Estas personas cumplen su objetivo, contribuyendo al mantenimiento del nivel ε de estúpidos entre las personas que están en el poder.

7

El poder de la estupidez

No resulta difícil comprender de qué manera el poder político, económico o burocrático aumenta el potencial nocivo de una persona estúpida. Pero nos queda aún por explicar y entender qué es lo que básicamente vuelve peligrosa a una persona estúpida; en otras palabras, en qué consiste el poder de la estupidez.

Esencialmente, los estúpidos son peligrosos y funestos porque a las personas razonables les resulta difícil imaginar y entender un comportamiento estúpido. Una persona inteligente puede entender la lógica de un malvado. Las acciones de un malvado siguen un modelo de racionalidad: racionalidad perversa, si se quiere, pero al fin y al cabo racionalidad. El malvado quiere añadir un «más» a su cuenta. Puesto que no es suficientemente inteligente como para imaginar métodos con que obtener un «más» para sí, procurando también al mismo tiempo un «más» para los demás, deberá obtener su «más» causando un «menos» a su prójimo. Desde luego, esto no es justo, pero es racional, y si uno es racional puede preverlo. En definitiva, se pueden prever las acciones de un malvado, sus sucias maniobras y sus deplorables aspiraciones, y muchas veces se pueden preparar las oportunas defensas.

Con una persona estúpida todo esto es absolutamente imposible. Tal como está implícito en la *Tercera Ley Fundamental*, una criatura estúpida os perseguirá sin razón, sin un plan preciso, en los momentos y lugares más improbables y más impensables. No existe modo alguno racional de prever si, cuándo, cómo y por qué, una criatura estúpida llevará a cabo su ataque. Frente a un individuo estúpido, uno está completamente desarmado.

Puesto que las acciones de una persona estúpida no se ajustan a las reglas de la racionalidad, de ello se deriva que:

a) generalmente el ataque nos coge por sorpresa;

b) incluso cuando se tiene conocimiento del ataque, no es posible organizar una defensa racional, porque el ataque, en sí mismo, carece de cualquier tipo de estructura racional.

El hecho de que la actividad y los movimientos de una criatura estúpida sean absolutamente erráticos e irracionales, no sólo hace problemática la defensa, sino que hace extremadamente difícil cualquier contraataque —como intentar disparar sobre un objeto capaz de los más improbables e inimaginables movimientos. Esto es lo que tenían en la mente Dickens y Schiller al afirmar el uno que «con la estupidez y la buena digestión el hombre es capaz de hacer frente a muchas cosas», y el otro que «contra la estupidez hasta los mismos dioses luchan en vano».

Hay que tener en cuenta también otra circunstancia. La persona inteligente sabe que es inteligente. El malvado es consciente de que es un malvado. El incauto está penosamente imbuido del sentido de su propia candidez. Al contrario que todos estos personajes, el estúpido no sabe que es estúpido. Esto contribuye poderosamente a dar mayor fuerza, incidencia y eficacia a su acción devastadora. El estúpido no está inhibido por aquel sentimiento que los anglosajones llaman *self-consciousness*. Con la sonrisa en los labios, como si hiciese la cosa más natural del mundo, el estúpido aparecerá de improviso para echar a perder tus planes, destruir tu paz, complicarte la vida y el trabajo, hacerte perder dinero, tiempo, buen humor, apetito, productividad, y todo esto sin malicia, sin remordimientos y sin razón. Estúpidamente.

8

La Cuarta Ley Fundamental

No hay que asombrarse de que las personas incautas, es decir, las que en nuestro sistema se sitúan en el área H, generalmente no reconozcan la peligrosidad de las personas estúpidas. El hecho no representa sino una manifestación más de su falta de previsión. Pero lo que resulta verdaderamente sorprendente es que tampoco las personas inteligentes ni las malvadas consiguen muchas veces reconocer el poder devastador y destructor de la estupidez. Es extremadamente difícil explicar por qué sucede esto. Se puede tan sólo formular la hipótesis de que a menudo tanto los inteligentes como los malvados, cuando son abordados por individuos estúpidos, cometen el error de abandonarse a sentimientos de autocomplacencia y desprecio, en vez de segregar inmediatamente cantidades mayores de adrenalina y preparar la defensa.

Generalmente, se tiende incluso a creer que una persona estúpida sólo se hace daño a sí misma, pero esto significa que se está confundiendo la estupidez con la candidez.

A veces hasta se puede caer en la tentación de asociarse con un individuo estúpido con el objeto de utilizarlo en provecho propio. Tal maniobra no puede tener más que efectos desastrosos porque: *a*) está basada en la total incomprensión de la naturaleza esencial de la estupidez y *b*) da a la persona estúpida oportunidad de desarrollar posteriormente sus capacidades. Uno puede hacerse la ilusión de que está manipulando a una persona estúpida y, hasta cierto punto, puede que incluso lo consiga. Pero debido al comportamiento errático del estúpido, no se pueden prever todas sus acciones y reacciones, y muy pronto uno se verá arruinado y destruido por sus imprevisibles acciones.

Todo esto aparece claramente sintetizado en la *Cuarta Ley Fundamental*, que afirma que:

Las personas no estúpidas subestiman siempre el potencial nocivo de las personas estúpidas. Los no estúpidos, en especial, olvidan constantemente que en cualquier momento y lugar, y en cualquier circunstancia, tratar y/o asociarse con individuos estúpidos se manifiesta infaliblemente como un costosísimo error.

A lo largo de los siglos, en la vida pública y privada, innumerables personas no han tenido en cuenta la *Cuarta Ley Fundamental* y esto ha ocasionado pérdidas incalculables a la humanidad.

El macroanálisis y la Quinta Ley Fundamental

Las consideraciones finales del capítulo precedente nos conducen a un análisis de tipo «macro», según el cual, en vez del bienestar individual, se toma en consideración el bienestar de la sociedad, definido, en este contexto, como la suma algebraica de las condiciones de bienestar individual. Es esencial para efectuar este análisis una completa comprensión de la *Quinta Ley Fundamental*. No obstante, es preciso añadir que de las cinco leyes fundamentales la *Quinta* es, desde luego, la más conocida y su corolario se cita con mucha frecuencia. Esta ley afirma que:

La persona estúpida es el tipo de persona más peligrosa que existe.

El corolario de la ley dice así:

El estúpido es más peligroso que el malvado.

La formulación de la ley y de su corolario es aún del tipo «micro». Sin embargo, tal como hemos anunciado antes, la ley y su corolario tienen profundas implicaciones de naturaleza «macro». El punto esencial que hay que tener en cuenta es éste: el resultado de la acción de un malvado perfecto (la persona que se sitúa sobre la línea OM de la figura 2) representa pura y simplemente una transferencia de riqueza y/o de bienestar. El malvado perfecto, con su acción, habrá añadido un «más» a su cuenta, «más» que equivaldrá exactamente al «menos» que ha ocasionado a otra persona. La sociedad en su conjunto no ha salido ni beneficiada ni perjudicada. Si todos los miembros de una sociedad fuesen malvados perfectos, la sociedad quedaría en una situación estancada, pero no se producirían grandes desastres. Todo quedaría reducido a transferencias masivas de riqueza y bienestar en favor de aquellos que actúan malvadamente. Si todos los miembros de una sociedad actuaran malvadamente por turnos regulares, no solamente la sociedad entera, sino incluso cada uno de los individuos, se hallaría en un estado de perfecta estabilidad.

Pero cuando los estúpidos entran en acción, las cosas cambian completamente. Las personas estúpidas ocasionan pérdidas a otras personas sin obtener ningún beneficio para ellas mismas. Por consiguiente, la sociedad entera se empobrece.

El sistema de cálculo expresado en las gráficas muestra que, mientras que todas las acciones de los individuos que se sitúan a la derecha de la línea POM (véase figura 3) incrementan el bienestar de una sociedad, aunque sea en

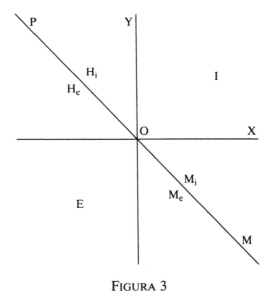

FIGURA 3

grados diferentes, las acciones de todas las personas que se sitúan a la izquierda de la misma línea POM empobrecen a la sociedad.

Dicho con otras palabras, los incautos dotados de rasgos de inteligencia superiores a la media de su categoría (área H_i), así como los malvados con rasgos de inteligencia (área M_i) y, sobre todo, los inteligentes (área I) contribuyen todos, aunque en grado diverso, a aumentar el bienestar de la sociedad. Por otra parte, los malvados con rasgos de estupidez (área M_e) y los incautos con rasgos de estupidez (área H_e) no hacen sino añadir pérdidas a las ya causadas por las personas estúpidas, aumentando de este modo el nefasto poder destructivo de estas últimas.

Todo esto nos sugiere algunas reflexiones sobre los resultados que se dan en las sociedades. Según la *Segunda Ley Fundamental*, la fracción de gente estúpida es una constante ε, que no se ve influida por el tiempo, espacio, raza, clase o cualquier otra variante histórica o sociocultural. Sería un grave error creer que el número de los estúpidos es más elevado en una sociedad en decadencia que en una sociedad en ascenso. Ambas se ven aquejadas por el mismo porcentaje de estúpidos. La diferencia entre ambas sociedades reside en el hecho de que en la sociedad en declive:

a) los miembros estúpidos de la sociedad se vuelven más activos por la actuación permisiva de los otros miembros;

b) se produce un cambio en la composición de la población de los no estúpidos, con un aumento relativo de las poblaciones de las áreas H_e y M_e.

Esta hipótesis teórica se ve abundantemente confirmada por un exhaustivo análisis de casos históricos. En efecto, el análisis histórico nos permite reformular las conclusiones teóricas de un modo más concreto y con detalles más realistas.

Tanto si consideramos la época clásica como la medieval, la moderna o contemporánea, nos impresiona el hecho de que todo país en ascenso tiene su inevitable porcentaje ε de personas estúpidas. Sin embargo, un país en ascenso tiene también un porcentaje insólitamente alto de individuos inteligentes que procuran tener controlada a la fracción ε, y que, al mismo tiempo, producen para ellos mismos y para los otros miembros de la comunidad ganancias suficientes como para que el progreso sea un hecho.

En un país en decadencia, el porcentaje de individuos estúpidos sigue siendo igual a ε; sin embargo, en el resto de la población se observa, sobre todo entre los individuos que están en el poder, una alarmante proliferación de malvados con un elevado porcentaje de estupidez (subárea M_e del cuadrante M de la figura 3) y, entre los que no están en el poder, un igualmente alarmante crecimiento del número de los incautos (área H en la figura 1). Tal cambio en la composición de la población de los no estúpidos refuerza, inevitablemente, el poder destructivo de la fracción ε de los estúpidos, y conduce al país a la ruina.

Apéndice

En las páginas siguientes el lector hallará unas cuantas gráficas que puede utilizar para registrar las acciones de personas o grupos con los que normalmente se relaciona. Esto le permitirá formular valoraciones precisas de las personas o grupos que examine y adoptar, en consecuencia, una línea de acción racional a su respecto.

NOMBRES

X = ...
Y = (el lector)

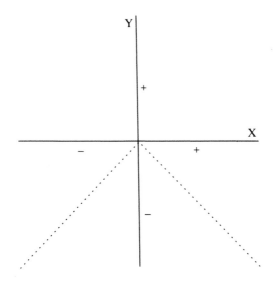

NOMBRES

X = ...
Y = (el lector)

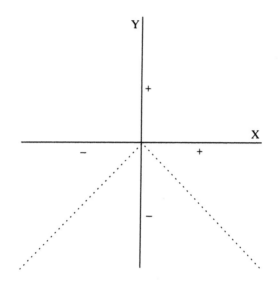

NOMBRES

X =
Y = (el lector)

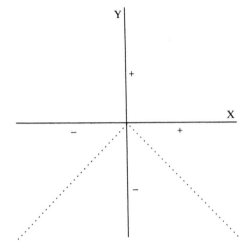

NOMBRES

X = ...
Y = (el lector)

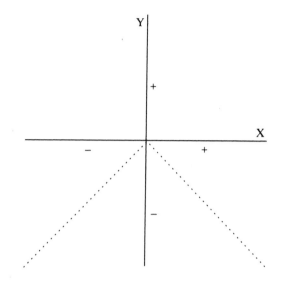

NOMBRES

X = ...
Y = (el lector)

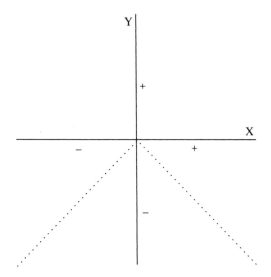

NOMBRES

X = ...
Y = (el lector)

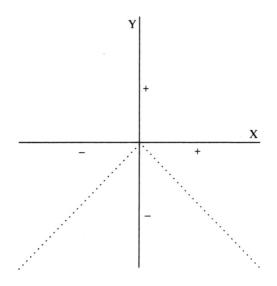

NOMBRES

X = ...
Y = (el lector)

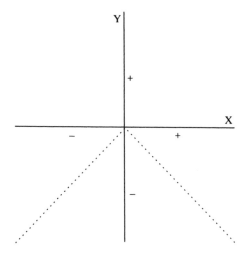

NOMBRES

X = ...
Y = (el lector)

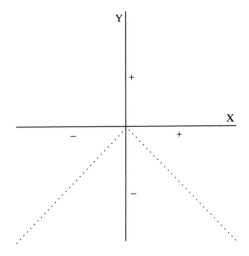

NOMBRES

X = ...
Y = (el lector)

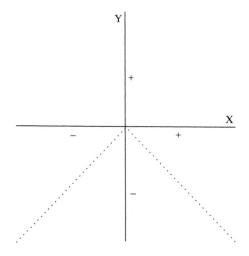

NOMBRES

X = ...
Y = (el lector)

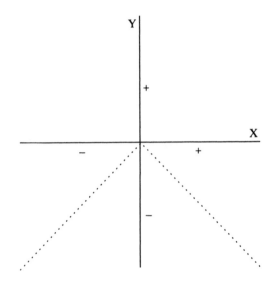

Índice

booket